Piper Galerie

William Turner Aquarelle

Mit einer Einführung von Paul Vogt

R. Piper & Co. Verlag München Zürich

ISBN 3-492-02180-8
© 1976 R. Piper & Co. Verlag, München
Gestaltung: Klaus W. Koop
Gesetzt aus der Trump-Antiqua
Gesamtherstellung:
Graphische Werkstätten Kösel, Kempten
Printed in Germany

Die Andeutung eines Turmes über farbigem Dunst, eine Ahnung verlöschender Glut, die den Himmel abklingend überfängt und in das zarte Grau des dämmrigen Wasserspiegels versinkt, atmosphärisches Licht, empfunden in impressionistischer Sensibilität: nur ein bedeutender Aquarellist vermag in so vollkommener Leichtigkeit die köstliche Flüchtigkeit des Augenblicks einzufangen (Abb. 13). Ohne Zweifel gehört Joseph Mallord William Turner (1775–1851), der Schöpfer dieses Blattes und einer der größten unter den wenigen Malern von europäischem Rang, die England hervorgebracht hat, zu den souveränen Beherrschern dieser Maltechnik. Er war in eine Zeit hineingeboren worden, in der englische Künstler das Aquarell wiederentdeckt hatten, das schon in den ägyptischen Totenbüchern und in den Werkstätten der mittelalterlichen Illuminatoren verwendet worden war, das unter Albrecht Dürer seine erste hohe künstlerische Blüte erlebt hatte – jenes so leicht scheinende und doch so anspruchsvolle Verfahren, das absolute Sicherheit in der Beherrschung des Handwerks und ein sensibles Empfinden für farbliche Valeurs voraussetzt. Hier ist Sparsamkeit der Mittel Trumpf, eine strenge Schulung der Hand und des Auges Voraussetzung, da jeder Pinselstrich unwiederholbar ist. Denn im Gegensatz zur sinnlichen, materieschweren Ölmalerei deckt die Aquarellfarbe den Malgrund nicht, sie lasiert, d. h. sie läßt die Helligkeit des Malgrundes durch die Farbschichten dringen und als Bildlicht mitwirken.

Bedingten vielleicht die besonderen klimatischen Verhältnisse des britischen Inselreiches mit seinen farbigen Nebeln und den im Dunst verschwimmenden Konturen die ungewöhnliche Bevorzugung eines Malverfahrens, das wie kein zweites dazu geeignet ist, atmosphärisches Licht wiederzugeben? Begabte Aquarellisten wie Paul Sandby und J. R. Cozens schufen Meisterliches; bedeutende private Institutionen wie die Society und das Institute of Painters in Watercolour weckten das allgemeine Interesse und wirkten in die Breite. Dennoch gibt es wohl kaum einen Maler der Generation um 1800 wie der folgenden, der von Turners Aquarellmalerei unbeeinflußt geblieben wäre. Er hatte Leistungen vollbracht, die kein anderer erreichte. Dabei war Turner ein überaus bedeutender Ölmaler – um so erstaunlicher, daß er einen großen Teil seiner Schaffenskraft einer scheinbar geringeren Kunstform widmete, als die das Aquarell allgemein angesehen wurde. Später erst erkannten auch die Maler auf dem Kontinent, welche Möglichkeiten sich ihnen hier boten. Das 20. Jahrhundert bestätigte schließlich den Rang des Aquarells. Die Wiederentdeckung Turners als Ölmaler wie als Aquarellist beruht ohne Zweifel mit auf dem Ansehen, die die Malerei mit Wasserfarben seit dem Impressionismus, in Deutschland noch mehr seit dem Expressionismus, in der Öffentlichkeit genießt.

Turner war ein frühreifes Genie. Der Vater, Barbier am Covent Garden in London, lehrte ihn lediglich das Lesen, förderte aber verständnisvoll die künstlerischen Ambitionen des Sohnes. Die frühesten uns überkommenen Arbeiten entstammen dem 12. Lebensjahr. Mit 15 Jahren war der junge Turner bereits mit einem Aquarell auf einer Ausstellung in der Royal Academy vertreten, der ehrwürdigen und maßgeblichen künstlerischen Institution Englands.

Der Topograph Thomas Walton lehrte den Knaben die Grundlagen der Perspektive und unterwies ihn im Gebrauch

6

der Wasserfarben, vorerst zur Kolorierung von Zeichnungen für die geschätzte Kunst der Vedute. Das Interesse an Reiseberichten und an Darstellungen heimischer wie ferner Landschaften und Bauwerke war groß. Das hatte gegen Ende des 18. Jahrhunderts noch wenig mit dem heranwachsenden neuen Empfinden für Natur zu tun. Die Landschaftsmalerei rangierte vielleicht eben über dem Stilleben, jedoch weit unter dem höchsten und anspruchsvollsten Thema, der episch-heroischen Historienmalerei. Erst Turner verlieh ihr ein bis dahin ungeahntes Ansehen, zu einem Zeitpunkt, da sich die englische Malerei zusehends von ihren kontinentalen Vorbildern befreite und Selbständigkeit gewann. Allerdings hat sich der Maler seine früh entwickelte Vorliebe für die Vedute – die möglichst topographisch getreue Wiedergabe einer Landschaft – trotz seiner späteren Hinwendung zur empfindsamen Landschaftsschilderung bis in das hohe Alter erhalten. Daraus resultiert die nicht zu übersehende Zweigleisigkeit seines Werkes: wir werden neben »freien« Darstellungen, in denen das Thema nur noch als Anlaß zur Entfaltung höchster malerischer Sensibilität dient, Werke in Öl und Wasserfarbe finden, in denen das Vorbild detailgetreu erfaßt und wiedergegeben worden ist.

Die künstlerische Entwicklung des jungen Eleven verlief rasch. Bereits 1794 erregten seine topographischen Aquarelle Aufsehen in Presse und Öffentlichkeit, man begann Notiz von dem jungen Künstler zu nehmen. Graphische Reproduktionen nach seinen Zeichnungen, deren erste ebenfalls 1794 gedruckt wurde, verbreiteten den Ruf seiner Fähigkeiten. Die im selben Jahr entstandene Ansicht der »Ruinen der Abtei Tintern« (Abb. 1), eine aquarellierte Zeichnung, dokumentiert deutlicher als eine Beschreibung das hoch entwikkelte handwerkliche Können ebenso wie Ansätze zu eigenständiger Gestaltung. Der Gegenstand ist in traditioneller Weise aufgefaßt: erst wurden die Konturen festgelegt, die dann mit den wichtigsten Licht- und Schattenzonen ausgefüllt wurden, ehe schließlich Einzelformen und Lokalfarben hinzukamen. So sehr sich der Künstler hier noch an einem Vorbild von Edward Dayes orientierte, so verrät ein Vergleich mit den Arbeiten seiner Lehrer doch schon jetzt die größeren Gaben des Schülers. Er verfuhr überall dort freier, wo nicht das Bauwerk minuziöse Wiedergabe der Realität verlangt. Der Hang zu malerischer Ausgestaltung, zu zarten Übergängen wie die Beachtung des mitwirkenden Lichtes sind nicht zu verkennen.

Der immense Fleiß des Malers förderte die Entwicklung. Jährliche Reisen, die ihn mit Stoff für seine Arbeiten versorgten, blieben eine feste Gewohnheit bis in das Alter. Ein hoch ausgebildetes visuelles Gedächtnis kam ihm dabei zu Hilfe. Es fiel ihm nicht schwer, Details jederzeit zu rekonstruieren, jeder flüchtige Lichteindruck blieb ihm lange gegenwärtig. Daß die allgemeine Gefühlslage der Frühromantik dazu beitrug, topographische Detailtreue mehr und mehr dem subjektiven, poetischen Empfinden unterzuordnen und schließlich auch der freien Improvisation Raum zu geben, demonstrieren bereits die Werke der Frühzeit um 1800. Übrigens war sich der Künstler einer solchen Umorientierung durchaus bewußt. Er äußerte bereits 1799 gegenüber einem Kritiker, er meide jede zu sehr bestimmte Form, um nicht der Manier zu verfallen. Durch Naß-in-Naß-Malen und durch gelegentliches Auswaschen lasse sich seine Idee wenigstens zu einem gewissen Grade verwirklichen: das Unbestimmte, Verfließende wird zum neuen, empfindsamen Ausdrucksmittel.

Napoleons Kontinentalsperre setzte der Reiselust Turners vorerst Grenzen. Der kurze Friede von Amiens 1802 bot die erste Gelegenheit, eine Tour bis zu den Alpen zu unternehmen und auf dem Rückweg in Paris haltzumachen, um die durch Napoleons Beutezüge rasch angewachsene Sammlung des Louvre zu studieren. Beide Erlebnisse wirkten sich in einer Fülle von Zeichnungen und Aquarellen aus, die uns den Maler als unermüdlichen Chronisten seiner visuellen Eindrücke zeigen: ». . . the act of drawing was for Turner an automatic response, a kind of nervous tic which never left him«, vermerkt der Katalog der großen Turner-Ausstellung 1974 lakonisch. Dieses unermüdliche Anraffen der Welt in ihren verschiedenen Erscheinungsformen mindert keineswegs die Qualität der einzelnen Arbeit, verweist aber auf ein bezeichnendes Merkmal seiner Malerei: den Unterschied zwischen ausgeführten, bildhaften, für Ausstellung und Verkauf bestimmten Werken und den spontanen Impressionen, die sich die Frische des ersten Eindrucks bewahren. Es ist nicht verwunderlich, wenn sich unsere Schätzung mehr den Bildern der zweiten Gruppe zuwendet, die erst auf den letzten Ausstellungen wenigstens teilweise der Öffentlichkeit bekanntgemacht wurden, zu Turners Lebzeiten jedoch nie zu sehen waren. Viele Aquarellstudien haben später als Grundlage zu bildhaften Aquarellen gedient, dagegen hat er sie offensichtlich nicht als Vorarbeiten zu seinen Gemälden verwendet. Die 1802 entstandene »Ansicht des Montblanc von Chamonix aus« (Abb. 2) zeigt recht deutlich, daß sich der

Maler gegenüber dem Topographen durchzusetzen beginnt. Wenn auch hier Farbe im eigentlichen Sinne noch nicht verwendet worden ist, so dominiert doch das Interesse an der Wiedergabe des Atmosphärischen über die Realität des Sichtbaren. Naß in Naß gemalt, wie im Zitat beschrieben, mehr mit dem Pinsel hingeschrieben als gezeichnet, stuft sich die Landschaft in die Tiefe, aus der der helle Gipfel des Montblanc – das ausgesparte Papierweiß – hervorleuchtet. Verstärkt wird der Eindruck der Bildtiefe durch die in herkömmlicher Weise an den Rand gesetzten Bäume, ein jahrhundertealtes kompositionelles Hilfsmittel.

In den folgenden Jahren sah sich der Maler wieder auf sein Heimatland beschränkt; vor allem die Themsemündung bot ihm reichlich Stoff zu neuen Studien. Wir hören, daß Turner viele Male den Strom hinauf- und hinabgefahren ist, unermüdlich arbeitend und sich zusehends zu dem entwickelnd, was sein Landsmann und einzig ernsthafter künstlerischer Rivale John Constable einen »Naturmaler« nannte. Diesem ging es allerdings darum, die eigentliche Natur festzuhalten, unter den realen Gegebenheiten von Wetter, Tageszeit und Licht. Turner hingegen zeigte sich als der Mann der Vision, der dichterischen Schau, für den die Natur letztlich mehr Mittel zum Zweck als Selbstzweck war. Beide Maler stehen damit wenn auch in verschiedenen Positionen am Beginn der Blüte englischer Landschaftsmalerei.

Turners Arbeiten dieser Periode zeigen eine zunehmende Unabhängigkeit von den klassischen Vorbildern und sind größtenteils offensichtlich zur eigenen Freude und Erbauung angefertigt worden, waren also nicht zum Verkauf gedacht. Die »Themseszene mit Schloß Windsor«, 1806/08 (Abb. 3), eine bekannte und oft gemalte Ansicht, verrät zugleich die Beschäftigung mit einem neuen Problem, das zum gravierenden der kommenden Jahre wird: Farbe als Licht. Wir müssen sorgfältig zwischen Beleuchtung, d. h. dem von außen herangetragenen Licht, und der Lichtintensität, der Helligkeit der Farbe selbst unterscheiden, die gerade beim Aquarell erheblich von der Konsistenz des Malgrundes abhängig ist. Erste Ansätze zu einer solchen Differenzierung sind hier unverkennbar. Es scheint sogar, als habe der Maler bewußt die gedämpften, teilweise auf Silhouettenwirkung abgestellten Bildgegenstände als Rahmen und Kontrast für die diffusen Helligkeiten verwendet, die vom Himmel ausgehend im Wasser reflektieren und den »englischen« Charakter der Landschaft mitbestimmen. Die in diesen Jahren noch gern gebrauchte Figurenstaffage (meist ein Hinweis auf die geplante Verwendung als Druckvorlage) erinnert an die klassische Tradition und wirkt daher gegenüber der Landschaftsimpression eher wie ein Fremdkörper. Noch ist das Studium der niederländischen Malerei nicht vergessen, der Einfluß des großen Vorbildes, des Franzosen Claude Lorrain, stets gegenwärtig.

Unter den zahlreichen Studienblättern Turners nehmen die Entwürfe für das »Liber studiorum« einen besonderen Rang ein (Abb. 4). Der Ursprung dieser in vierzehn Teilen zwischen 1807 und 1819 herausgegebenen Druckfolge ist durchaus akademisch. Sie imitiert in Titel und Technik das berühmte Druckwerk »Liber veritatis«, das Richard Earlom nach Zeichnungen von Claude Lorrain schuf. Es erschien in den siebziger Jahren des 18. Jahrhunderts und fand unter Künstlern und Sammlern starken Widerhall. Wie in seiner Malerei fordert Turner also auch hier den Vergleich zu Lorrain direkt heraus. Beide Werke unterscheiden sich jedoch im Inhalt. Im »Liber studiorum« demonstriert Turner die damals meistgefragten Sparten der Landschaftskomposition, wie bereits der Untertitel verrät: »Illustrative of Landscape Compositions, viz. Historical, Mountainous, Pastoral, Marine and Architectural...« Hier ist also das Gedankengut des 18. Jahrhunderts noch durchaus lebendig. Turner hat wahrscheinlich nicht nur die Druckvorlagen geliefert, sondern auch die Umrisse der jeweiligen Komposition auf der Platte selbst geätzt, ehe er sie dem Graveur zur weiteren Bearbeitung übergab. Daß er dessen Tätigkeit recht genau überwachte, zeigt ein aufschlußreicher Briefwechsel über die Reproduktion eines seiner Bilder: »Rühren Sie den Himmel einstweilen nicht an, erst ganz zuletzt. Die Tiefe ist vielleicht zu dunkel ausgeführt und bedarf einer feineren Durcharbeitung; die Bäume müssen mehr Charakter bekommen, so wie sie in der römischen Campagna sind, in einer öden und unfruchtbaren Steppe, und heller im Ton werden. Was die Frage nach den senkrecht verlaufenden Linien des Wassers betrifft, so bitte ich, vor dem allerletzten Druck nicht daran zu denken, denn es muß eine schöne Qualität von silbriger Weichheit erhalten... Die Häuser darüber, die Figuren und die Partien bei und mit dem herabschauenden Knaben verlaufen, ganz wie ich gefürchtet habe, in einer Linie, und die zerbrochene Pforte mit dem Altar muß im Gegensatz zu der Stadt und den Seitenfiguren stärker herausgearbeitet werden. Der Vordergrund verlangt mehr Luft und eine kühne, flüchtige Bearbeitung, fleckenartige Behandlung und starke Lichter.«

Die Anlage des Blattes zeigt, daß es für eine Übertragung in das Mezzotinto-Verfahren geschaffen wurde, eine malerisch wirkende Flächenätzung, die in bestimmten Grenzen die Wirkung eines Aquarells wohl zu imitieren vermochte. Turner hatte ebenso auf die Fähigkeiten des Graphikers wie auf die Grenzen der Drucktechnik Rücksicht zu nehmen, darum pflegen derartige Vorlagen weniger farbig zu sein und sich auf eine Abstufung von Tonwerten zu beschränken, die allerdings gerade bei diesem Maler stets die ganze Skala von samtiger Dunkelheit bis zum strahlenden Licht umfaßt. Verglichen mit anderen Arbeiten der Zeit ist hier das klassische Arkadien noch einmal erstanden; trotz ihrer geringen Größe bestimmt die Figurengruppe im Vordergrund eindeutig den Stimmungsgehalt des Blattes, entsprechend seinem gedachten Zweck. Der Zeichnungsstrich ist bravourös und sicher und bezeugt meisterliches Können auch im kleinen Format: die Darstellung mißt 18:26 cm und liegt damit unter den von Turner meist verwendeten Aquarellformaten.

1817 war der Weg zum Kontinent wieder offen. Der Künstler besuchte diesmal Holland, Belgien und das Rheingebiet zwischen Mainz und Köln. »Die »Kathedrale von Antwerpen« (Abb. 5) ist auf getöntes Papier gemalt worden, von dem sich das Deckweiß der Architekturformen leuchtend abhebt. Besonders gegenüber dem letzten Blatt fällt auf, wie sich der Maler hier mit Andeutungen begnügt, die Zeichnung relativ zurücktritt. Auch daraus wird sichtbar, daß es ihm mehr auf den Gesamteindruck als auf Detailtreue ankam. Die Kühnheit der Auffassung, die untraditionelle Art der Pinselführung bezeugen die wachsende Selbstsicherheit des Malers.

Erstaunlich ist, daß Turner bis dahin noch nicht Italien besucht hatte, das an sich zu den »Pflichtaufgaben« eines jeden

Künstlers gehörte. Gewiß beherrschte er die sog. »Italienische Landschaft« mit den überlieferten Schilderungen der Ruinen, des Vesuvs oder der Landschaft von Tivoli. Wir kennen Bilder, die z. B. auf James Hakewills »Picturesque Tour in Italy« zurückgehen. Die erste Begegnung mit Italien 1819 löste allerdings eine Reaktion aus, die ihn mit einem Schlage von der traditionellen klassizistischen Auffassung befreite. An die Stelle der literarischen Schilderung tritt ein malerisches Problem: Farbe und Licht. Am Comer See, in Rom und in Venedig entstand eine größere Zahl von Aquarellen, die eine erhebliche Veränderung in Auffassung und Maltechnik verraten: die Realität von Farbe und Licht hatte alle Vorstellungen übertroffen.

Bis zu diesem Zeitpunkt hatten der symbolische Charakter sowie die rein kompositionellen Qualitäten des Lichts Turners Schaffen bestimmt – jetzt überwältigte ihn die Helligkeit des Südens. Die am Aquarell gewonnenen Erfahrungen wirkten sogleich auf die Ölmalerei weiter. Hatte er bis dahin gern auf furnierte Mahagonieplatten gemalt, um die Farben tragender und voller erscheinen zu lassen, so übernahm er nun den hellen Malgrund der Aquarelle auch für die Werke auf Holz und Leinwand. Zudem kehrte er das für die Ölmalerei selbstverständliche Verfahren um, mit den dunkelsten Stellen zu beginnen und die Lichter zuletzt aufzusetzen, und begann in aquarellhafter Weise vom Hellen ins Dunkle zu malen, was einen dünnen, lasierenden und damit weitgehend materiefreien Farbauftrag voraussetzt. Eine differenzierte Palette an Gold-Braun- und klaren Blautönen, begleitet von stumpferen, abgestuften Tonwerten, berücksichtigt die farbschluckende Wirkung des hellen Lichts. Damit folgte der

Maler nicht mehr seinem erlernten Wissen, sondern vertraute sich zunehmend den Erfahrungen des eigenen Auges an. Es war sein Wunsch, »die eigenartige Farbtönung und Klarheit von Gegenständen darzustellen, die durch das Medium der Luft hindurch wahrgenommen werden, mit anderen Worten, die Klarheit der Atmosphäre darzustellen«. So konnte er fortan darauf verzichten, in überlieferter Weise »jene dunklen, greifbaren Gegenstände, die als Hintergrund für atmosphärisches Licht dienen und durch ihren Kontrast Atmosphäre bewirken«, in seinen Werken zu berücksichtigen. Er hat damit bereits eine der Erfahrungen der Impressionisten vorweggenommen, gegen die sich die meisten deutschen Kunstakademien noch gegen Ende des 19. Jahrhunderts wehrten.

Gewiß hat Turner damals noch nicht alle möglichen Konsequenzen einer solchen Erkenntnis ausgenutzt. Doch läßt sich verfolgen, wie sich gerade in den zu eigenem Vergnügen geschaffenen Studien die Maltechnik praktisch mit jedem Thema ändert – es sind experimentelle Arbeiten, mit denen neue Darstellungsweisen erprobt werden. Man kann die Gruppe dieser Blätter, zu denen die auf der ersten Italienreise 1819 entstandenen sowie die Skizzen aus Petworth und von den französischen Flüssen 1829, schließlich auch noch die späten venezianischen und die der Schweizer Seen gehören, durchaus von den anderen Arbeiten scheiden, nicht nur ihrer maltechnischen Besonderheiten, sondern auch ihres Themas und des veränderten Formats wegen. Wie die Wahl der Farben war auch die der Papiere der jeweiligen Darstellung angepaßt. So bevorzugte Turner für die Serie der Rheinansichten kleine Skizzenblätter, die mit grauer Tusche vorbehandelt wurden, auf die er mit Deckfarbe malte. Helligkeiten wurden nicht aufgesetzt, sondern teilweise ausgekratzt, wie er das bereits in den ersten Alpenansichten 1802 versucht hatte, ein für seine Zeit durchaus ungewöhnliches Verfahren. Manche dieser Studien sind später als Vorbilder für bildhaft ausgeführte Aquarelle auf weißem Grund verwendet worden. Das manchmal auffallende Nebeneinander von Aquarell- und Deckfarben ist ebenfalls objektbedingt. Die frischen, lichterfüllten Studien aus Venedig, die farbkräftigen Panoramen aus Neapel und aus der römischen Campagna verraten den starken Eindruck, den der Künstler an diesen Orten empfangen hatte. Sie wirken in ihrer Unbekümmertheit, ihrer Unkompliziertheit und der unmittelbaren Verarbeitung des Eindrucks manchmal eher wie Werke eines begeisterten Anfängers und nicht wie die eines erfahrenen Künstlers. Übrigens gab Turner selbst für solche Themen nicht immer den grauen Grund auf, der doch eher für den Norden geeignet erscheint. Er verwendete überall dort getönte Gründe und die farbintensivere Deckfarbe, wo es ihm darum ging, z. B. die Wärme der Atmosphäre einer Landschaft wiederzugeben. Bei den Deckfarben erscheint die Skala der Töne allerdings begrenzter als beim Aquarell. Diese Konzentration beruhte wohl auf dem Wunsch nach einer Steigerung der Intensität, wie wir es in den Petworth-Skizzen sehen werden. Hin und wieder benutzte er neben dem zeichnenden und malenden Pinsel auch die Feder, die – nicht in Tusche, sondern in dieselbe Farbe getaucht –, Details betont, Umrisse herausarbeitet, wann immer ihm das als notwendig erschien.

Seit diesem ersten Italienaufenthalt zieht sich die Malerei des hellen Lichts anstelle kontrastierender heller und dunk-

I

2

3

4

5

6

7

8

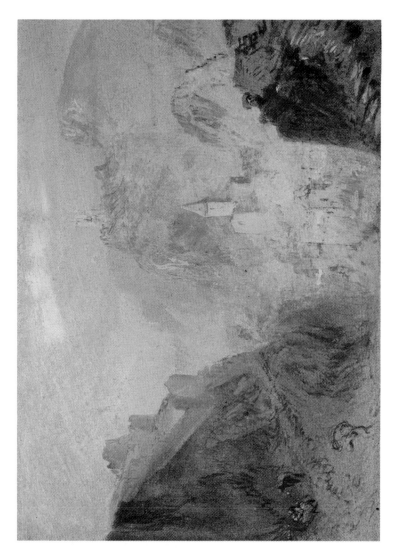

9

10

II

12

13

14

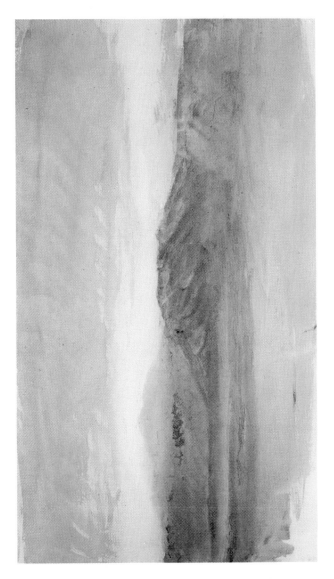

15

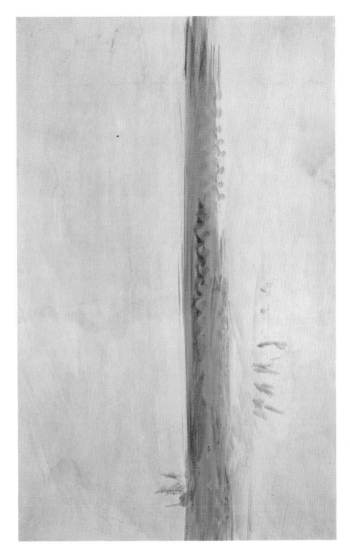

ler Töne wie ein roter Faden durch das spätere Werk. Sie bestätigt die Worte eines englischen Kritikers: »Turner sollte nach Rom kommen. Sein Genie würde hier mit Motiven, ihm geistesverwandt, versorgt werden ... Die zarte Harmonie dieser Atmosphäre kann nur mittels der Schönheit seiner Farbwerte eingefangen werden...« Auch Byron, der berühmte englische Dichter der Romantik, dürfte an dem erwachenden Interesse des Malers für Italien, speziell für Venedig, nicht ganz unbeteiligt gewesen sein.

Während in den Gemälden das Inhaltliche dominiert, ja durch hinzugefügte Zitate aus eigener und fremder Dichtung noch unterstrichen wird, übernimmt in den Aquarellen die Farbe nicht selten allein die emotionale Ausdrucksfunktion, wobei figürliche Staffage entbehrlich scheint. Vergleicht man die »Woge« von 1819 (Abb. 7) mit dem heiter-gelassenen »Blick auf Capri« (Abb. 6), so begreift man sogleich die Spannweite der Ausdrucksfähigkeit allein aus den Mitteln der Malerei. Durch die Düsternis der Farben wie durch den zuckenden Aufbau der Form tendiert das Seebild ausgesprochen zum Dramatischen. Jeder Pinselstrich trägt einen Teil der Erregung, die in der Szene waltet. Der Maler hatte das Licht nicht spirituell aufgefaßt, wie etwa der späte Rembrandt, dessen Werke Turner kannte und bewunderte, sondern er verwendete es wie die Farben in seiner elementaren Eigenschaft. Joseph Farington hat nach einem Besuch im Atelier des Malers treffend bemerkt: »Turner arbeitet nach keinem festgesetzten Verfahren, sondern wirbelt die Farben umher, bis sich seine geistige Idee offenbart hat.«

Man mag sich angesichts solcher Werke unwillkürlich an Emil Nolde erinnern. Wie dieser norddeutsche Maler hat auch Turner verschiedentlich stürmische Schiffsüberfahrten angetreten, um das Wüten der See aus eigenem Erleben schildern zu können – ein Verhältnis zur Natur, wie es für einen Künstler des 18. Jahrhunderts undenkbar gewesen wäre. Man darf jedoch vor solchen erstaunlichen Blättern keinesfalls jene übersehen, wie das betont bildmäßig ausgeführte und daher sicher zum Verkauf oder Druck bestimmte Aquarell »An der Maas« von 1826 (Abb. 8). In ihm sind alle Ordnungen der klassischen Komposition bewahrt. Der Pinsel deutet nicht an, sondern schildert detailliert. Hier finden wir übrigens auch die figürliche Staffage wieder, in der sich die gewünschte Stimmung der Landschaft noch einmal verdichtet. Beide Möglichkeiten machen erst die Spannweite der Malerei Turners aus.

Schloß Petworth in der Grafschaft Sussex und seine malerische Umgebung nehmen als Thema im Gesamtwerk eine bedeutende Stellung ein. Hier am Wohnsitz seines Gönners, des 3. Earl of Egremont, der sein erstes Bild bei Turner bereits 1802 erworben hatte, hielt sich der Maler wiederholt, nach dem Tode seines Vaters auch für längere Zeit auf. Er verfügte sogar über ein eigenes Atelier, in dem jene Werke entstanden sind, die den Übergang zum reifen Malstil der Spätzeit dokumentieren. In Turners Nachlaß sind 116 Arbeiten unter der Bezeichnung »Petworth watercolours« aufgeführt. Sie zeugen von den Wanderungen des Künstlers in der Landschaft um das Schloß; unter ihnen befinden sich aber auch einige Interieurs von einer seltsamen, fast surrealen Hintergründigkeit, ein Unterton, der auch in den Gemälden dieser Jahre anklingt. Die teils mit Wasser-, teils mit Deckfarben gemalten Blätter sind fast alle gleich groß. Der Maler hatte für seine Exkursionen größere Bogen blauen Zeichenpapiers gefaltet und zu passenden Skizzenblättern gebrochen. Bemerkenswert an den Petworth-Skizzen ist ihre Spontaneität, die den Wunsch nach unmittelbarer Wiedergabe des Gesehenen und Erlebten verrät. Turner verzichtete auf jede Vorzeichnung und baute ganz auf die Kraft der Farben, von der seine Vorstellung direkt bestimmt wurde (Abb. 10). Neu ist die intensive Glut, die aus den Blättern strahlt: das Drama des kämpfenden und siegenden Lichts wird zum Mittelpunkt. Das Inhaltliche identifiziert sich weitgehend mit den subjektiven Empfindungen des Künstlers, es besitzt nicht mehr das Primat. In der weiteren Konsequenz lösen sich sogar die gegenständlichen Formen unter dem Einfluß des farbigen Lichts zu traumhaften Szenen, die mit der äußeren Realität kaum mehr etwas gemein haben. Die »High Street Oxford« (Abb. 11), eine Studie zu der geplanten, jedoch nicht erschienenen England- und Wales-Publikation mag in diesem Zusammenhang an den Rat erinnern, den Turner einem seiner Schüler gab: »Malen Sie immer Ihre Eindrücke und Empfindungen, versuchen Sie nicht, die peinigende, prosaische Wirklichkeit einzufangen.«

Die große Zahl der Arbeiten in dieser Periode war nicht allein durch die ungeminderte Reiselust des Malers bedingt, beide hängen vielmehr von seiner gerade damals außerordentlich intensiven Tätigkeit als Illustrator ab. In den zehn Jahren zwischen 1826 und 1836 war Turner an 16 Veröffentlichungen beteiligt; er schuf Illustrationen zu historischen Werken ebenso wie zu Reiseberichten und Dichtungen, fast alle im Aquarell. So »unnatürlich« gemessen am Sichtbaren eine erste Studie oft auch erscheinen mag – man erinnere sich der »High Street« –, so waren doch die nach diesen Ideenskizzen ausgeführten Drucke derart erfolgreich, daß sich die Bestellungen an den ohnehin stark beschäftigten Künstler häuften. Dies hielt ihn jedoch nicht ab, eine erneute Italienreise einzuplanen, auf der er wieder Venedig besuchte, die Königin der Meere, deren Farbe, Licht und Bauwerke ihn diesmal tiefer als die zuvor besuchten Städte beeindruckten. Turners Biograph John Ruskin schrieb mit vollem Recht: »In Venedig fand Turner die Weite des Raumes, die Brillanz des Lichts, eine Fülle an Farben, die Einfachheit der großen Form; wir verdanken Venedig eine große Zahl an Motiven, die die Kraft der Farbe in einmaliger Schönheit manifestieren.«

Der Künstler hatte lange vor diesem neuen Thema gezögert. Bis 1833 war keine Arbeit mit einer Ansicht Venedigs in den jährlichen Ausstellungen der Royal Academy zu sehen gewesen, obwohl er sich doch schon 1819 zum erstenmal dort aufgehalten hatte. War er sich erst nach 1830 seiner Mittel so sicher, daß er sich an dieses umfassende Motiv wagte, das für seine Spätzeit so bezeichnend ist? Während der späteren Besuche, 1833 und 1840, machte er allerdings die früheren Versäumnisse durch eine Reihe seiner schönsten Gemälde und Aquarelle wieder wett. Wie in einer Synthese zeigen die Werke dieser Zeit noch einmal die ganze Spannweite seiner künstlerischen Fähigkeiten, von der Vedute bis zu den köstlichen Farbimpressionen, in denen alles Stoffliche durch das Licht entmaterialisiert wurde. Dabei kann das Gegenständliche derart in der farbigen Gesamtstimmung aufgehen, daß ein eigentlicher Bildinhalt kaum mehr zu erkennen ist. Man ahnt das Motiv mehr, als daß man es sieht. Die Farben sind reich an Tonwerten, variabel in ihrem Glanz und ihrer Zartheit, ihr Auftrag wechselt je nach der Stimmung. Sie verdichten sich an einigen Stellen zu strahlendem Leuchten, um an anderen wie ein zarter Hauch den Grund zu färben. Der Bildgrund scheint transparent, ein farbiger Abglanz der Schönheit dieser Welt, poetisch empfunden und künstlerisch verklärt (Abb. 12 und 13). Um diese so selbstverständlich erscheinende Wirkung zu erzielen, benötigte Turner ein hochentwickeltes Vokabular an technischen Mitteln, die absolute Perfektion des Malprozesses.

Manchmal ist die Zeichenfeder noch andeutungsweise beteiligt (Abb. 12), um bestimmte Bildpunkte zu fixieren. Das Hauptinteresse richtete sich jedoch wieder auf die immaterielle Strahlkraft des Lichts. Um sie zu steigern, scheute der Künstler keine Kühnheit, kein Experiment. Hinweise auf ungewöhnliche Verfahren gibt uns der Rat an einen seiner Schüler, das fertige Aquarell anschließend in eine Schüssel mit Wasser zu tauchen – offensichtlich doch nur, um einen noch höheren Grad an Entmaterialisierung zu erzielen. Solche Manipulationen könnten gefährlich sein, bewahrte nicht das im Bewußtsein des Künstlers fest verankerte Empfinden für Bildordnung, wenn auch auf den ersten Blick kaum mehr kenntlich, die Darstellung vor der Auflösung ins Irreale. Träten alle Formen etwas schärfer hervor, würde die verfließende Silhouette zum Umriß, die flüchtige Andeutung zur faßbaren Form – wir hätten wieder eines jener streng komponierten Landschaftsbilder vor uns, an denen das späte 18. und frühe 19. Jahrhundert so reich sind. Das instinktive Festhalten am Erlernten zeigt sich als Basis für die Entfaltung der vollkommenen Freiheit: Maß und Gesetz bleiben Merkmale von Turners Kunst bis in die Jahre des Alters, in denen die Strenge nachläßt, eine Ahnung von Auflösung spürbar wird, in denen sich der unruhige Geist in den Gefilden der Farbe verirrt.

Der Glanz der venezianischen Werke leuchtet in das künstlerische Schaffen der vierziger Jahre hinüber. Gerade die Jahre zwischen 1840 und 1846 sind noch einmal besonders reich an Aquarellen, die der damals über 65jährige Maler an Orten schuf, denen er sich tiefer verbunden fühlte als anderen. Vor allem die Schweizer Seen und unter ihnen besonders der Vierwaldstätter See hatten es ihm angetan, er hat sich im Alter hier wiederholt aufgehalten. Es existieren verschiedene, sich jedoch relativ ähnliche Ansichten, darunter die mit dem Rigi (Abb. 14). Doch ist kein Blatt dem anderen gleich. Wie später bei den Impressionisten wird der stete Wechsel von Farbe und Licht zum eigentlichen Inhalt des Bildes, nicht mehr die Ansicht selbst. Der Künstler hat sich hier sogar daran gewagt, eine Landschaft unter dem Schein des Vollmondes zu malen, um die Faszination des kühlen Lichts auszukosten. Er war damals in seinen Mitteln so souverän, daß ihn wohl gerade die Schwierigkeiten, das Ungewöhnliche reizten – eine Haltung, die das Publikum als eine Änderung der bisher geschätzten Malweise und Auffassung sehr wohl registrierte. »They're a little different from your usual style«, bemerkte Thomas Griffith als leichten Vorwurf zu Turner während der Verkaufsverhandlungen, wie uns Ruskin in seinem Epilog zur Fine-Art-Society-Ausstellung überliefert.

Wir dürfen aus der Sicht von heute nicht übersehen, daß das leichte Befremden der Freunde und Sammler nicht unbegründet war. Schon mit den venezianischen Werken entfernte sich der Maler zusehends von dem nach vollendeter Malerei und detailliertem Realismus strebenden Gros seiner Zeitgenossen, ja auch von der bisherigen Tätigkeit als Illustrator. Er stand zu jener Zeit tatsächlich längst außerhalb seiner eigenen

Altersschicht, hatte sich im Grunde schon von den Bestrebungen der nächsten, der eigentlichen Generation der englischen Romantiker entfernt. In seiner Heïmat galt er zwar als der große Alte der künstlerischen Szene. Aber man betrachtete seine freien und kühnen Farbkompositionen als wunderliche Überspanntheit, die man auf britische Weise tolerierte, ohne sie jedoch noch verstehen zu können. Zudem nahm auch sein Interesse an den regelmäßig beschickten Jahresausstellungen der Royal Academy langsam ab. Nicht, daß er sie fortan gemieden hätte. Aber man sieht an der Wahl seiner Bilder und auch daran, daß er sie oft am Vorabend der Eröffnung noch einmal rasch übermalte oder überhaupt erst fertigstellte, daß Malen mehr und mehr zu einem Zwiegespräch des Künstlers mit sich selbst wurde, ohne Rücksicht auf das Publikum, dem er freistellte, seine Werke anzuerkennen oder nicht.

Das, was in seiner Zeit als anachronistisch erscheinen mußte, macht für uns einen Teil seiner Größe als Maler aus und bezeugt die Sonderstellung dieses Mannes: die persönliche Vision spielt bei Turner die bestimmende Rolle gegenüber der objektiven Realität. Was manche Kritiker für altersbedingte Sehschwäche hielten, die verschwimmenden Konturen der in Dunst gehüllten Landschaften, die farbigen Schatten und Lichter, die verblassenden Körper in leuchtendem Nebel, kurz, die aufgehobene Schwere der gegenständlichen Welt, ist im Grunde sehr englisch, jedoch zu einer Impression sublimiert, deren Ausgangspunkt die gesehene und erlebte Natur bleibt. Deren Größe und Erhabenheit waren und bleiben Inhalt seiner besten Werke. Das ist auch das »Romantische« an ihnen, nicht die Landschaft selbst, sondern die Idee, die hinter ihr sichtbar wird, die bewirkte, daß die Konventionen der historischen und heroischen Landschaften verblaßten, daß das intellektuelle »Zurück zur Natur« durch ein neues Verhältnis zwischen Mensch und Natur abgelöst wurde.

Alle Werke der Spätzeit enthalten Hinweise auf diese Situation, in der sich der Maler befand. Sie zeigen jedoch ebenso deutlich, wie sehr die gängige Auffassung, in ihm einen verfrühten Impressionisten sehen zu wollen, an seiner eigentlichen Leistung vorbeizielt. Vergleichen wir eine Arbeit wie das »Segelschiff« von 1843 (Abb. 16), die durch ihre äußere Größe jedes Skizzenbuchformat überschreitet und die zu einer wahrscheinlich in England entstandenen Gruppe freier, atmosphärischer Studien gehört, mit Werken der französischen Impressionisten, so wird der gravierende Unterschied rasch klar. Dort ein Realismus, der mehr auf der Schärfe der Beobachtungsgabe beruht als auf den Empfindungen, die das Gesehene auslöst. Hier die Kühnheit eines Alterswerks, das sich auf sparsamste Strichführung allein aus Farbe beschränkt, mit wenigen assoziativen Pinselzügen Meer beschwört und den Vordergrund in beinahe ostasiatischer Manier durch einige flüchtige, jedoch wohlbedachte, raumschaffende Zeichen fixiert. Dort ist das Erlebnis optischer Natur – die Auflösung der Welt in farbige Elementarteilchen, durch die die Zufälligkeit des Nur-Gegenständlichen überwunden und in ein Netz farbiger Beziehungen verflochten wird, die einer neu erkannten Gesetzlichkeit unterliegen. Der Impressionist geht stets von einer unromantischen, objektiven und kühlen Wirklichkeitsbetrachtung aus. Sie allein ermöglicht es ihm, den optischen Charakter der wahrgenommenen farbigen Sinneseindrücke zu erkennen und entsprechend zu verarbeiten. Bei Turner sind das Subjektive und das Objektive zu ineinander verwobenen Stimmungsschilderungen verflochten. Die Natureindrücke ergreifen und verwandeln den inneren Zustand des Menschen, stimmen alles auf einen tragenden Klang, der auch den Betrachter miteinbeziehen will. Wenn auch die menschliche Figur, die in den Bildern der Romantik den unentbehrlichen Gegenpol zur Natur darstellt, in Turners späten Werken nur noch eine Nebenrolle spielt, ja endlich ganz aus seinen Bildern entlassen wird – die menschliche Bezogenheit des von ihm Geschaffenen wird dadurch eher noch gesteigert. Diese Art des Naturerlebens kann durch die intellektuelle Bewußtheit, wie sie die Bilder des ausgehenden 18. Jahrhunderts – Ausgangspunkt auch für Turner, wie wir sahen – so selbstverständlich demonstrieren, nur noch gestört werden. Das Ego des Künstlers ist nun untrennbarer Bestandteil der gemalten Welt, die Landschaft nicht mehr eine in sich geschlossene Bildwelt, sondern etwas unendlich Beseeltes, unabgegrenzte Wirklichkeit.

Mehr als 20000 Aquarelle, das berühmte Turner-Vermächtnis an den englischen Staat, legen Zeugnis ab von der Entwicklung des Künstlers auf dieses große Ziel hin. Wenn wir zeitgenössischen Berichten folgen, starb Turner einsam und enttäuscht, »nachdem er die letzten Jahre in der Befangenheit eines Traumes verbracht hatte, der ihn von der Welt trennte«. Wir wissen, daß gerade ein solches Mißverständnis seine Rolle deutlich definiert: der Traum trennte ihn nicht, er verband ihn tiefer mit der Welt, nicht mit jener äußeren, auf die sich die Kritik bezieht, sondern mit der, in der Natur und Mensch eine neue Einheit gewinnen. Es war ein Traum, der erst Generationen später in seiner überzeitlichen Wirkkraft verstanden werden sollte.

Alle Werke befinden sich im Besitz des Britischen Museums, London. Der Verlag dankt dem Museum für die Fotovorlagen und die Reproduktionsgenehmigung.

Albrecht Altdorfer

Die
Gemälde

Gesamtausgabe von Franz Winzinger

340 Seiten mit 48 ganzseitigen farbigen und 211 Schwarzweiß-
Abbildungen. Format: 24,5 x 30 cm. Leinen in Schuber

Albrecht Altdorfer, der bedeutendste altbayerische Maler, steht gleich-
berechtigt neben Dürer, Holbein, Grünewald oder Cranach. Aber obwohl
seine »Alexanderschlacht« in der Alten Pinakothek in München oder
der Sebastian-Altar in St. Florian weltweiten Ruf genießen, sind
bedeutende Werke des Altdorfer'schen Werks kaum in das Bewußtsein
der Bevölkerung gedrungen.
Winzinger hat hier nicht nur die Ergebnisse der bisherigen Forschung
kritisch durchleuchtet, er konnte auch das Werk des Meisters durch
zahlreiche Entdeckungen und Zuschreibungen erweitern. Es wurden zum
ersten Mal auch Bildhauerarbeiten aufgenommen, die mit Sicherheit
auf Entwürfe des Meisters zurückgehen. Der große Band enthält
alle Angaben zu Leben und Gemälden, ergänzt mit Literaturhinweisen,
Abbildungen sämtlicher Gemälde, Bildnachweisen und einem
Oeuvreverzeichnis.

Piper Galerie

Ernst Barlach · 35 Plastiken
Auswahl und Nachwort von Wolf Stubbe. Aufnahmen von Friedrich
Hewicker. 1974. 55 Seiten mit 42 Tafeln. Pappband

Marc Chagall · Arabische Nächte
26 Lithographien zu 1001 Nacht. Einführung von Kurt Moldovan.
1973. 47 Seiten mit 13 Farbtafeln. Pappband

Lyonel Feininger · Aquarelle
Nachwort von Alfred Hentzen. 1973. 54 Seiten mit 16 Farbtafeln.
Pappband

Paul Gauguin · Noa Noa
Eine Auswahl von Aquarellen, Holzschnitten und Texten. Nachwort
von Gotthard Jedlicka. 1975. 57 Seiten mit 16 Farbtafeln und
5 Abbildungen im Text. Pappband

Herbert Kühn · Eiszeitmalerei
50 000–10 000 v. Chr. 20 Tafeln von Romain Robert. 1975. 54 Seiten
mit Kartenbeilage. Pappband

August Macke · Aquarelle
Nachwort von Wolfgang Macke. 1974. 50 Seiten mit 16 Farbtafeln.
Pappband

Piper Galerie

Franz Marc · Botschaften an den Prinzen Jussuff
Mit einem Geleitwort von Maria Marc und einem Essay von Georg
Schmidt »Über das Poetische in der Kunst Franz Marcs«. 1974.
56 Seiten mit 16 Farbtafeln. Pappband

Edvard Munch · Lebensfries
46 Graphiken. Mit einer Einführung von Walter Urbanek.
1974. 69 Seiten. Pappband

Emil Nolde · Aquarelle
Nachwort von Günter Busch. 1973. 51 Seiten mit 16 Farbtafeln. Pappband

Pablo Picasso · 46 Lithographien
Mit einer Einführung von Kurt Kusenberg. 1975. 65 Seiten
mit 51 Abbildungen. Pappband

Pompeji
Zeugnisse griechischer Malerei. Auswahl und Einführung von
Karl Schefold. 19 Tafeln. Aufnahmen von Walter Dräyer.
1974. 45 Seiten. Pappband

Christian Rohlfs · Blätter aus Ascona
16 Tempera-Arbeiten. Mit einem Geleitwort von Helene Rohlfs und
einer Einführung von Paul Vogt. 1974. 55 Seiten. Pappband